D0784622

DU MÊME AUTEUR, DANS LA MÊME COLLECTION

Guesaro l'indomptable

Conception graphique : Claude Lieber
Réalisation : Bernard Van Geet

© Casterman, 2001

ISBN 2-203-11919-5

COMME LA VIE

Claire Clément

Oualid, président !

illustré par Stéphane Girel

ROMANS
casterman
HUIT & PLUS

1

Dans ma nouvelle classe, personne n'a le même nom. Il y en a, je ne savais même pas que ça existait! Par exemple, Youssou ou Nasser ou Yoko, ou Oualid. Oualid dit que son nom vient d'un pays où la mer et le ciel sont si bleus qu'on ne sait plus où commence la mer et où finit le ciel. J'aime bien Oualid. Dès le deuxième jour de la rentrée, on a été copains. Il a toujours des questions marrantes, et pas des faciles! Même la maîtresse a du mal à y répondre! Alors évidemment, Oualid énerve la maîtresse... Pas plus tard qu'hier, elle parlait de l'infini. Elle disait que l'infini, on ne peut pas le mesurer car il ne s'arrête jamais. Oualid a demandé:

— Si l'infini, on peut pas le mesurer, comment on peut savoir qu'il ne s'arrête jamais, hein ?

Et il a regardé tout le monde, fier de lui, l'air de dire : c'est pas une bonne question, ça ?

— Peut-être que l'infini, il s'arrête quelque part mais on le sait pas parce qu'on n'a pas les instruments qu'il faut ! Peut-être que...

— Oualid, l'a interrompu la maîtresse, l'infini, c'est l'infini. On ne peut pas le mesurer. C'est trop grand et c'est comme ça.

Ça doit être plus agréable de répondre à de bons élèves. On se dit qu'au moins, ça va leur rester, les bonnes réponses, alors que les mauvais, on ne sait jamais ce qu'ils vont en faire ! Et Oualid n'est pas un bon élève. Il empile les mauvaises notes. Chaque fois qu'il en attrape une, j'ai mal pour lui. Mais ça n'a pas l'air de le tracasser. La maîtresse non plus d'ailleurs. Quand il a un zéro, elle joue à Questions pour un champion :

— Elle est ronde, elle cherche un nid pour faire ses petits, un nid confortable, évidemment ! Qu'est-ce que c'est ?

8

Tout le monde crie :

— Une bulle pour Oualid !

Oualid, ça le fait rire. Il n'en veut pas à la maîtresse parce qu'il sent qu'au fond, elle l'aime bien. On ne peut pas ne pas aimer Oualid.

Partout où il passe, il jette de la vie, à grands éclats de rire ou de clins d'œil, il fait des vagues qui éclaboussent de soleil tous ceux qui l'approchent. Parfois je lui dis :

— Oualid, si tu veux, on peut faire nos devoirs ensemble...

Mais Oualid a toujours d'autres choses à faire : un match de foot le samedi après-midi, un entraînement le mercredi matin, sinon il fait du roller. Et même s'il a du temps, pendant les vacances, il répond :

— L'école, c'est nul. À quoi ça sert d'apprendre tout ça ? Maintenant, les ordinateurs, ils font tout, ils corrigent même tes fautes !

Je lui ai expliqué que ça ne suffisait pas de savoir se servir d'un ordinateur. Il fallait apprendre plein d'autres choses parce que plus on en sait, plus on se sent intelligent ! On n'est plus comme la vache qui broute dans son pré sans savoir ce qu'elle mange. Non! On sait de quoi l'herbe est faite, on rumine in-te-lli-gem-ment. Alors dans le troupeau, chaque vache veut faire comme toi, chacune veut apprendre à ruminer in-te-lli-gem-ment. On te nomme chef des vaches...

Oualid m'a arrêté net :

— Franchement, Jules, qu'est-ce que j'en ai à faire d'être le chef des vaches ?

— Heu... c'est une image... Ce que je veux dire, Oualid, c'est que plus tu apprends de choses, plus tu seras libre de choisir ton métier !

— Pff... C'est ce que dit ma sœur. Mais elle, elle est bien obligée de travailler à l'école...

— Ah, oui ? Et pourquoi ça ?

— Parce qu'elle sait pas se servir d'un ordinateur, mec !

Aujourd'hui, la maîtresse a commencé la journée par une leçon d'instruction civique. Elle explique ce qu'est un président de la République et elle termine la leçon en disant :

— La maison du président s'appelle l'Élysée.

Oualid a demandé :

— Oh, maîtresse, on pourra y aller ?

— Non, Oualid, on ne peut pas entrer à l'Élysée. Il faut une autorisation spéciale.

Alors là, j'ai dit d'une toute petite voix :

— Moi, je suis déjà entré à l'Élysée...

La maîtresse m'a regardé, interloquée :

— Ah ? Et dans quelles circonstances, Jules ?

Je n'ai pas bien compris alors j'ai répondu au pif :

— Dans la voiture de mon père.

Elle a serré les lèvres comme si elle s'empêchait dé rire :

— Et qu'alliez-vous faire à l'Élysée ?

— Mon père, il travaille avec le président, alors...

Et j'ai pris l'air de celui qui n'a pas le choix, qui est bien obligé de temps en temps d'aller à l'Élysée. Mais la maîtresse a insisté. Elle est aussi curieuse que Oualid quand elle s'y met.

— Que fait ton père avec le président ?

— Il est garde républicain.

— Aaah ! a fait la maîtresse.

Puis elle a renchéri :

— Mais il y a plusieurs sortes de gardes républicains, il y en a qui travaillent à l'Élysée, d'autres qui font des défilés, d'autres qui...

— Mon père, il fait de la trompette. Il est musicien dans la garde républicaine.

— Aaah, aaaah ! a encore fait la maîtresse. Très intéressant !

Et heureusement que la cloche a sonné, sinon je crois bien qu'elle m'aurait posé encore toutes sortes de questions.

Mes copains, eux, ça les a drôlement impressionnés.

— Et tu l'as vu, le président ? En vrai ?

— C'est vrai que dans sa maison y a que de l'or ?

— Il mange aussi du couscous ?

— Et tu l'as vu en pyjama ?

Là, ils ont commencé à se marrer :

— Le président en pyjama ! Le président en pyjama ! qu'ils n'arrêtaient pas de répéter en se pliant en deux.

Mais Oualid, lui, il avait une petite idée derrière la tête.

— Ton père, il connaît le président... Alors comme il te connaît aussi, il t'a fait connaître le président. Mais nous, on te connaît maintenant alors...

— Aaah !

Je comprenais mieux soudain les aaaah ! de la maîtresse ! On fait aaaah, quand on ne sait plus quoi dire, quand on est surpris par quelque chose. Le truc malin, c'est de le répéter plusieurs fois pour faire croire qu'on réfléchit. Ça laisse un peu de temps avant d'avoir l'air complètement idiot.

— Aaah ! Tu veux voir le président, c'est ça ?

Comme ils me regardaient tous, l'air gourmand, je n'ai pas eu le cœur de leur refuser. D'un geste qui englobait le monde entier, j'ai fanfaronné :

— Pas de problème ! C'est comme si c'était fait !

Ils ont poussé un cri de joie, ils m'ont tapé sur l'épaule, ils ne m'ont pas quitté de toute la récréation.

2

LE PROBLÈME après, c'était de décider mon père. J'ai tellement peur qu'il me dise non, que je l'attaque bille en tête comme s'il avait déjà refusé. Ce soir-là, j'ai attendu de le voir dans son fauteuil avec son verre de vin blanc bien frais qu'il dégustait à petites gorgées, en feuilletant une revue... J'avais une tactique, un truc que j'avais repéré à la télé, la technique du chaud-froid. On raconte n'importe quoi qui fait peur, on avoue ensuite que c'était pas vrai, le temps que la personne digère la mauvaise blague, on peut lui demander ce qu'on veut, tout lui paraît léger !

— B'jour, p'pa ! Ça va ?

— Pas mal... Et toi, petit père ?

— Mouais...

— J'aieuuntroisenmathsunzéroenconduite-
mamaîtresseveuttevoiravecmamanelleditque-
jevaisredoublermonCM1, ai-je dit d'une seule
traite.

La gorgée de vin blanc, pas loin de la pomme
d'Adam, est descendue si vite que mon père a
failli étouffer.

— Hein ? a-t-il demandé, d'un air si effaré que
j'ai eu peur d'être allé trop loin.

— Mais non, je rigole ! C'était pour voir si tu
m'écoutais...

Différentes expressions se sont succédé sur le
visage de mon père à une vitesse déconcer-
tante : l'étonnement, l'effarement, de la peur,
encore de l'étonnement, avec une pointe de
profonde surprise comme s'il avait devant lui
un parfait inconnu, puis de la colère, puis... J'ai
rien vu d'autre, j'ai entendu un clac magistral.
Je venais de recevoir une gifle :

— Imbécile, petit morveux... ! J'ai horreur de
ce genre de blague ! Va dans ta chambre,
espèce de... de... de... Fous le camp !

17

Je suis parti. J'avais pas dosé ma technique du chaud-froid. Tout, toujours, est une histoire de dose. Je savais pas faire.

Surtout avec mon père.

Mine de rien, ça a quand même porté ses fruits, parce que au bout d'une heure, mon père est venu me voir dans ma chambre.

— Jules, qu'est-ce qui t'a pris d'un seul coup ? C'était tellement pas toi, j'y ai vraiment cru, et ça m'a fichu une de ces trouilles ! Je ne supporte pas l'idée que tu puisses aller mal, et si tu as de mauvaises notes, c'est qu'il y a quelque chose qui cloche... Tu n'en as jamais eu, ça m'a fichu la trouille... Tu ne m'en veux pas ?

Je l'ai laissé mijoter dans son jus. Puis j'en ai eu assez de tourner autour du pot :

— Oualid, il voudrait voir le président, à l'Élysée.

— Aaaaaaah !

Encore un qui prenait son temps pour réfléchir. En plus, il avait tout pigé. Je me sentais aussi nu qu'une pomme qu'on épluche.

— Ça tombe bien. On reçoit le président de Papouasie après-demain. Il y aura une parade. Tu peux l'inviter, ton Oualid. Mais lui, c'est tout.

Le lendemain, j'ai tout de suite prévenu Oualid :

— Je peux en inviter qu'un. Alors si tu veux venir, comme c'est toi qui as eu l'idée...

Les autres faisaient une drôle de tête, ils étaient jaloux, ça se voyait. Je les ai rassurés :

— Vous irez chacun à votre tour, je vous le promets !

Le mercredi suivant, on est partis avec mon père. Dans la voiture, Oualid n'arrêtait pas de poser des questions :

— Vous lui avez parlé au président, monsieur ? Il vous appelle par votre prénom ? C'est vrai qu'il a un chauffeur qui l'attend partout comme Al Capone ? Et qu'il a des tas de billets dans ses poches ? Et sa voiture, est-ce qu'elle est blindée comme celle du pape ?

Au début, mon père répondait à Oualid, mais comme il trouvait toujours de nouvelles questions, mon père s'est fatigué :

— Tu verras, Oualid, tu verras.

Et on est arrivés. Mon père a montré la grande porte à Oualid :

— C'est là.

Je n'ai plus rien entendu à l'arrière. Je me suis retourné. Oualid regardait l'Élysée comme quelqu'un qui s'est fait avoir sur la marchandise.

— Quoi ? C'est ça, la maison du président ?

— Pas vraiment, mais c'est là qu'il travaille, a dit mon père.

C'est vrai que de l'extérieur, c'était loin d'être un château. Si Oualid avait rêvé d'un grand parc, des escaliers en colimaçon menant à de hautes tours encadrant un bâtiment étincelant de blancheur, de bassins avec cygnes, des statues partout, et *tutti quanti* (c'est de l'italien, ça signifie « et tout le reste »), je comprenais qu'il soit déçu. Devant nous il n'y avait qu'une énorme grille à deux battants avec deux gardes postés de chaque côté. On apercevait au loin une grande maison avec plein de fenêtres, un seul escalier devant, et une cour de cailloux blancs.

— Tu croyais quand même pas que c'était un château ?

— Hein ? Un château ?

Il a levé les yeux au ciel :

— Pff... n'importe quoi...

Ça sonnait faux. Son « n'importe quoi » était suave, il gardait les traces des splendeurs qu'il avait imaginées. De la tête, il m'a désigné les gardes :

— Ceux-là en tout cas, ils sont *top*.

Avec leur shako tout décoré (c'est comme un képi mais plus haut), leur grande médaille comme une dentelle dorée collée juste au-dessus de la visière, leur plumet rouge dressé telle une sentinelle, leur veste où s'alignaient toutes sortes de cordelettes, leur fusil posé par terre qu'ils tenaient du bout des doigts, c'est vrai qu'ils étaient impressionnants.

Même pour moi qui les avait déjà vus !

— C'est un F.S.A 49 56, j'ai dit à Oualid en lui montrant le fusil, mais il n'y a pas de balles dedans.

Ils étaient tellement *top* que des tas de gens s'agglutinaient pour les regarder. J'ai compris pourquoi : il était 11 heures et c'était la relève.

Les relèves ont lieu toutes les heures. Mon père a garé la voiture. On est sortis, il s'est dirigé vers le restaurant de l'Élysée :

— J'en ai pour cinq minutes ! Profitez du spectacle, on ne voit pas ça tous les jours.

Comme il nous regardait, il n'a pas vu les gardes qui arrivaient en cadence devant lui. Il y en avait un qui tenait un sabre, et deux autres le suivaient avec un fusil. Il a failli leur rentrer dedans. Les gardes ont piétiné deux secondes pour éviter l'accident. Leurs pas résonnaient sur le macadam. Une deux, une deux, une deux...

— Arrête, t'es maboul, ils vont croire que tu te moques d'eux...

Sans faire exprès, j'avais suivi leur rythme. Celui qui tenait le sabre s'est arrêté sur le côté, les deux autres se sont mis devant les gardes qui étaient déjà là :

— Présentez... armes !

Les gardes ont fait plein de petits mouvements avec leur fusil, on sentait que c'était pas n'importe quoi, qu'ils avaient dû les répéter plusieurs fois.

— Reposez... armes !

Ceux qui venaient d'arriver ont pris la place des autres, puis ils sont repartis, le sabre d'abord et les fusils derrière, au pas cadencé, une deux, une deux, une deux... Pendant ce temps, les gens n'arrêtaient pas de les photographier. Quand la relève a été finie, une fille s'est placée tout à côté du nouveau garde, elle a balancé ses cheveux en arrière pour qu'on voie son visage sur la photographie, et le garde les a reçus en pleine figure ! Il n'a même pas cligné des yeux !

— T'as vu ? Comment il fait pour ne pas bouger ?

Pour Oualid, ça tenait du miracle.

Peu de temps après, mon père est revenu. Il est arrivé par-derrière et il nous a touché l'épaule, Oualid a poussé un cri :

— Ah !

Il n'avait pas reconnu mon père. Il faut dire qu'il ressemblait au garde comme deux gouttes d'eau, sauf qu'il n'avait ni sabre ni fusil, mais une trompette, et un plumet rouge et blanc sur son shako. Oualid a peut-être cru que c'était le garde qui avait fait demi-tour. Qui voulait l'emmener. J'ai pouffé de rire .

— Venez ! a dit mon père.

À l'intérieur, il a dit à quelqu'un assis dans un petit bureau :

— Mon fils et son camarade vont assister à la parade.

Le type du bureau a hoché la tête.

Après on est passés dans une sorte de petite porte avec caméra et télévision, comme à l'aéroport :

— C'est pour voir si on n'a pas d'armes, a expliqué mon père.

J'ai chuchoté à Oualid :

— Tu comprends ? Y en a qui pourraient tuer le président...

Puis on a pénétré dans la cour de l'Élysée.

— Restez dans ce coin et surtout ne faites pas de bruit !

Mon père a rejoint la garde républicaine qui était déjà alignée dans la cour. Il y avait un soleil extraordinaire. Les médailles dorées brillaient et jetaient de la lumière d'or partout. Quand on en recevait dans les yeux, ça faisait comme un feu d'artifice miniature.

— C'est grand quand même... a murmuré Oualid.

Et la musique a commencé.

Le président de Papouasie est apparu sur le perron.

—Regarde, voilà le président !

Oualid a presque hurlé :

— Quoi ? Il est noir, le président ?

Quelques personnes se sont retournées en faisant :

— Chut...

Notre président est apparu à son tour. La garde républicaine a joué plus fort. J'ai reconnu au premier rang Gaston Larozière, qui agace tout le monde parce qu'il croit être le meilleur. Puis un cor s'est mis à jouer en solo. Pas fort, juste comme une chanson un peu triste, comme si quelqu'un chantait d'une voix grave. Je l'aurais reconnu entre mille ! C'était Jean, un copain de papa. Il habite pas loin de chez nous. Papa dit que c'est le meilleur joueur de cor qui existe. Quand il joue, on se laisse bercer, comme l'histoire de celui qui jouait de la flûte et entraînait les rats se noyer dans la rivière : ils y voyaient que du feu tellement la musique leur plaisait ! C'est dommage que Jean ait un si sale caractère ! Mais bon, c'est une autre histoire...

Les deux présidents, eux, ne bougeaient plus.

Quand Jean a eu fini, il y a eu un grand silence. Le président de Papouasie a hoché plusieurs fois la tête d'un air de dire: « Ben dis donc, ah ben dis donc! »

Les présidents sont partis, la garde républicaine s'est dispersée et mon père nous a rejoints:

— Alors, il a demandé à Oualid, comment tu le trouves, le président?

Oualid n'a pas répondu. C'est la première fois que je le voyais à court.

Mon père a rigolé:

— Hou là là, il t'a fait de l'effet, le président!

On est rentrés à la maison dans le plus grand silence.

Le lendemain, à l'école, tout le monde a posé des questions à Oualid:

— Alors, tu l'as vu le président? Il est comment? Tu lui as parlé? Et l'Élysée? C'est vrai qu'il y a de l'or partout?

Oualid a juste marmonné :

— Le président ? Ah oui ! Bof, rien d'extraordinaire...

Il s'est assis dans un coin de la cour, c'était évident qu'il n'avait pas envie de nous parler. Les autres se sont énervés :

— Pour qui il se prend ?

— Il se la joue ou quoi ?

Un autre a susurré :

— Peut-être qu'il veut devenir président ?

Tout le monde s'est esclaffé.

— Ha ha ha ! Oualid, président !

Simon a crié à Oualid :

— Hé, Oualid, t'as demandé au président combien il avait en maths à ton âge ?

— De toute façon, a répliqué Julien, il peut pas, il est arabe.

Oualid a bondi :

— Je suis né en France, espèce d'abruti, alors je suis français ! Et puis avant d'être arabe, je suis d'abord marocain, d'origine marocaine ! Tu sais ce que ça veut dire ?

— Que t'es français ! a conclu un autre. Et que tu veux devenir président !

Oualid a haussé les épaules et il est parti.

Ça me faisait mal pour Oualid s'il avait l'idée de devenir un jour président. Parce que, avec les notes qu'il avait, il était vraiment mal parti. Alors j'ai décidé de l'aider, pour ne pas lui couper son rêve, même si au-dedans de moi, je ne croyais pas beaucoup qu'il serait un jour président. Le soir, quand la maîtresse nous a donné nos devoirs à faire, j'ai proposé à Oualid :

— Tu veux qu'on les fasse ensemble ? J'ai juste une heure parce que après, je vais à mon cours de clarinette.

J'ai été étonné parce qu'il a tout de suite accepté :

— D'accord, mais on va chez toi !

Oualid s'est appliqué, et on a fini nos devoirs assez vite.

Au moment de partir à mon cours, il a insisté pour m'accompagner :

— Il n'y a personne chez moi et comme j'ai fini mes devoirs...

On a fait le chemin ensemble. Une fois arrivés au conservatoire, je lui ai dit au revoir.

En montant les escaliers, j'ai regardé par la fenêtre, pour voir où il était, mais il n'y avait personne. Le conservatoire se trouve sur une île où il y a une vingtaine de maisons, dix de chaque côté, qui se tournent le dos. Pour y accéder, il y a un escalier au milieu d'un pont. Un petit chemin bordé d'arbres fait le tour de l'île. C'est agréable de s'y promener. On est accompagné par le clapotis de l'eau. Oualid pouvait avoir eu envie de faire un tour. La salle de guitare était libre. J'ai jeté un coup d'œil par la fenêtre. Comme les arbres perdaient leurs feuilles, j'avais une belle vue sur le chemin, des deux côtés. Mais Oualid n'y était pas. Il ne pouvait pas avoir disparu aussi vite à moins de courir. Et pourquoi aurait-il couru ? Où était-il donc passé ?

3

À PARTIR de ce jour, le comporte-
ment de Oualid est devenu de plus en plus
bizarre. Je le surprenais en train de faire de
drôles de bruits avec sa bouche, comme un
bébé qui cherche à faire vibrer ses lèvres.
J'étais de plus en plus inquiet.

— Ça va, Oualid ?

— Ça va, qu'il répondait, ça va même très
bien !

Après l'école, il partait en courant, impossible
de le suivre. Où allait-il si vite ?

C'est un matin, alors qu'on faisait du vocabu-
laire, que j'ai eu la puce à l'oreille. La maîtresse
a demandé des mots qui étaient de la même

famille que le verbe vibrer. Oualid a répondu tout de suite :

— Vibration !

La maîtresse a cru que c'était Julien.

— Très bien, Julien.

J'ai crié :

— C'est pas lui, maîtresse, c'est Oualid !

— Oualid ?

Toute la classe a fait oui de la tête, d'un même mouvement.

— Bravo, Oualid, l'a félicité la maîtresse, comment connais-tu ce mot-là ?

— Comme ça !

Quelqu'un a ajouté tout bas :

— C'est depuis qu'il veut être président !

Tout le monde a rigolé. Moi, je me suis demandé où il avait entendu ce mot. Il ne pouvait pas l'avoir lu, Oualid ne lit pas. Peut-être que sa sœur Soraya, qui était une crack en tout, lui avait soufflé ce mot-là la veille, mais ça m'étonnait. À moins de parler d'un cœur qui vibre… et là, je ne voyais pas du tout Soraya lui faire des confidences à ce sujet.

34

C'est un mot qu'on entend souvent quand on joue des instruments à vent. Mon père par exemple doit faire vibrer ses lèvres pour sortir le meilleur son. Il fallait que j'en aie le cœur net. Quand la cloche a sonné, j'étais déjà devant la porte de l'école. Je me suis caché derrière un poteau électrique, j'ai attendu Oualid et je l'ai suivi.

Il a pris la direction de l'école de musique. Je l'ai vu monter les escaliers.
Je me suis caché derrière un arbre pour qu'il ne me voie pas par la fenêtre.
J'ai grimpé les escaliers. Au premier étage, personne. Je suis monté au deuxième, comme un Sioux. Sur le palier, dans un couloir assez sombre, Oualid était assis par terre. Un cor s'est mis à jouer. J'ai revu Oualid le jour de la parade : ce n'était pas le président qu'il regardait, mais... le joueur de cor ! Comme il l'écoutait maintenant ! C'était moins beau, parce que c'était un élève qui jouait, mais ce qui semblait intéresser Oualid, c'était ce que disait le professeur :

— Respire par le ventre, et surtout, n'oublie pas de faire vibrer tes lèvres ! Plus tu auras de l'air dans ton ventre, plus le son sera pur ! Vibration, vibration, il n'y a que ça !

Pas étonnant que Oualid ait retenu ce mot ! Il était si concentré qu'il ne m'a même pas vu. Alors je suis reparti.

Les inscriptions au conservatoire étaient terminées depuis longtemps.

Pour apprendre le cor, Oualid devrait attendre l'année prochaine.

Mais quelque chose me disait qu'il n'attendrait pas. Comment pouvais-je l'aider ? Oualid avait l'air si... envoûté. Il paraît que ça existe les envoûtements en musique. Mon père m'a dit un jour que c'était comme si on était drogué. On ne pense qu'à ça, jour et nuit. On chante la musique dans sa tête, on cajole son instrument comme si c'était un ami dont on veut tirer la plus belle mélodie, on lui parle avec des mots doux, et... *tutti quanti*. Ou bien on l'insulte, ou on le boude quand on n'a pas réussi son morceau. C'est l'Amour, avec un grand A. Et Oualid m'a fait cet effet-là : il ne pensait qu'au cor, depuis qu'il avait entendu le son. Il faut dire que c'était Jean qui jouait et il ne pouvait pas tomber mieux. Si au moins Oualid avait un cor... Son père accepterait peut-être de lui en louer un ? Sauf qu'un cor, ce n'était pas facile à trouver. En général, ils étaient pris d'assaut dès la rentrée. Et on était déjà au milieu d'octobre... Et puis il y avait un autre problème : le père de Oualid était en colère contre lui à cause de ses mauvaises notes. Pour Oualid, c'était un marathon d'obtenir quelque chose... Peut-être que Jean... ? Non. Ce n'était même pas la peine d'y compter. Il détestait les enfants. Un jour je l'avais entendu dire à table :

« Moi, les gosses, tu sais ce que j'en pense... Moins j'en vois, mieux je me porte. »

Sauf que le gosse, c'était Oualid. Et Oualid, il faisait des vagues partout où il passait.

J'ai eu de la chance. Le soir même, Jean est venu à la maison. De la chance, c'est vite dit. Parce que décidément, je ne l'aime pas, Jean.

Avec sa barbe, ses sourcils broussailleux, sa taille de géant, il me rappelle les ogres que je voyais en image dans les livres. Je l'appelle Barbenoire. Pas tout fort, bien sûr. Papa dit qu'il n'est pas méchant. N'empêche, je me méfie. Jamais un sourire, jamais un mot aimable quand il me voit. C'est comme si je n'existais pas. Alors ça ne donne pas envie de se jeter dans ses bras. C'est Gus, son chien qui se jette sur moi, la queue s'agitant aussi vite que l'aiguille d'un métronome dans une mesure à deux-quatre :

— Là, là... oui, Gus, t'es un bon chien, calme, calme...

Gus, c'est un bâtard (on a droit de le dire pour les chiens) avec des poils blancs, un bandeau noir sur l'œil comme un pirate, et une tache au bout du nez, comme s'il avait mangé trop de chocolat.

Mon père et Jean ont commencé à discuter devant un petit blanc bien frais. C'est comme ça que j'ai appris qu'il y avait une journée portes ouvertes dans huit jours, dans une salle

à côté de l'Élysée, que les enfants étaient invités à venir, et qu'ils pouvaient à cette occasion poser des tas de questions et même essayer les instruments ! Jean a tout tenté pour ne pas y être, mais personne n'a pu le remplacer. Alors on lui a fait comprendre qu'il n'avait pas le choix. Quand j'ai su ça, je n'ai pas hésité :

— Oh papa, je veux venir !

« Ouah, ouah ! » a renchéri Gus, toujours prêt à donner un coup de main.

— Toi ? s'est exclamé papa. Pourquoi ? Tu veux changer d'instrument ?

— Non, mais je veux accompagner Oualid.

— Il veut apprendre un instrument, Oualid ?

Je n'ai pas osé regardé Jean :

— Oui. Il veut faire du cor.

— Pff... a dit Jean, ça lui passera. Trop dur. Les mômes, maintenant, faut leur botter les fesses pour les lever du lit le matin. Y a que la télé qui compte !

— Allons, Jean... a murmuré papa.

Le lendemain j'ai dit à Oualid, l'air de rien :

— Dans quelques jours, il y a une porte ouverte, pas loin de l'Élysée. On peut essayer tous les instruments qu'on veut. Ça te dirait d'y aller ?

Ses yeux se sont allumés comme deux étoiles :

— T'as deviné, hein ? Comment t'as deviné ?

— C'est quand t'as parlé de vibration à la maîtresse, alors là...

On a éclaté de rire. Puis quand même, je l'ai un peu engueulé :

— Pourquoi tu ne m'as rien dit ? À quoi ça sert, un copain, si on ne se dit rien ?

— Je voulais pas que ça se sache. Les autres se seraient moqués et, ça, j'aurais pas supporté. Non mais, tu vois le tableau ? Si je commence à leur dire que je veux jouer du cor... !

On les voyait bien, les autres, en train d'imiter des bruits de cor sur le passage de Oualid, dans le couloir, dans la classe, à la cantine, c'est vrai que ça aurait été vite pénible !

— Tu n'auras qu'à t'inscrire au conservatoire, l'année prochaine.

— L'année prochaine ? Ça va pas ! Non, je veux commencer maintenant !

— Mais t'as pas de cor, comment tu vas faire ?

— T'inquiète pas. Je vais me trouver un professeur, et pas un nul ! Ça sera le meilleur !

— Tu penses à quelqu'un ?

— Mouais... peut-être bien... tu le connais...

— Jean ? Le copain de papa ? C'est ça ? Ah là là, si tu savais, Oualid...

— C'est le meilleur, j'en veux pas d'autre.

— Ben, va falloir y mettre du tien !

— Pourquoi ?

— C'est un ogre, il déteste les enfants. Alors leur donner des cours, c'est comme si tu demandais à une maman kangourou de promener son bébé en poussette !

Oualid m'a fait un clin d'œil :

— Si je le veux, Jules, ne t'inquiète pas, j'y arriverai.

LE JOUR de la porte ouverte, mon père nous a accompagnés. J'avais un petit peu peur à cause du sale caractère de Jean. On est entrés dans une grande salle. Il y avait les instruments à cordes d'un côté, violons, violoncelles, harpe, etc., et les instruments à vent de l'autre. Jean était là, sans Gus, avec sur les genoux son beau cor qui brillait.

— Salut, a dit papa à Jean, je t'amène Oualid, un petit gars qu'a l'air intéressé !

— Salut ! a dit Oualid.

— Humm... a grogné Jean en regardant Oualid.

Puis au bout d'un long moment, comme si parler était un effort trop grand, il a ajouté :

44

— Tu as déjà entendu du cor ?

— Ah ça oui ! s'est exclamé Oualid.

Et il a commencé à poser des tas de questions.

— Comment on fait des notes ? Et comment on sort l'air de son ventre en vibrant ? Et de l'air, il en faut un peu, moyen ou beaucoup ? Et il faut toujours vibrer ?

Jean a fait comme s'il n'entendait pas. Il lui a tendu une embouchure : c'est ce qu'on met au bout d'un cor pour jouer.

— Essaie de souffler là-dedans, sans baver. C'est le plus important. Quand on sait sortir un son de là, sans trop se forcer, j'ai dit un son et pas un couac, on a fait un bon bout de chemin. Comme ça !

Jean a soufflé dedans. Un seul son, parfait, rond, pur, presque tendre.

Oualid a pris à son tour l'embouchure. Il l'a fait tourner entre ses mains un moment puis il l'a posée sur ses lèvres. Un son est sorti, sans trop d'effort. Jean a repris son embouchure :

— C'est bon. Tu as compris. Maintenant, tu peux aller jouer aux billes !

Et il s'est retourné pour parler avec papa.

Oualid est resté comme deux ronds de flan, stupéfait.

Faire ça à Oualid ! À Oualid pour qui c'était devenu si important de jouer du cor ! J'ai éructé :

— Ce qu'il veut Oualid, c'est pas jouer aux billes, c'est jouer du cor !

Papa a dit tout bas à Jean :

— Fais un effort quand même... Ce gosse meurt d'envie d'essayer ton instrument...

— Du cor ! s'est écrié Jean. Et pourquoi du cor, hein ?

— C'est beau, a dit tranquillement Oualid.

Jean s'est énervé :

— C'est beau ! C'est tout ce qu'ils savent dire ! C'est beau ! Tu sais combien de temps j'ai mis pour jouer comme ça ? Dix ans ! En travaillant tous les jours ! Tu es prêt à travailler tous les jours, toi ?

— Bien sûr ! Tous les jours.

J'ai tenté le tout pour le tout :

— Et il veut que tu lui apprennes !

Jean a eu comme un rire sauf que le rire n'est pas sorti de sa gorge :

— Moi ? Ah ah ! Moi ? Pourquoi moi ?

— Parce que vous êtes le meilleur joueur de cor, a répondu Oualid.

Jean a lancé un coup d'œil à papa :

— C'est un coup monté ou quoi ?

— Non, a répliqué mon père en riant à moitié, mais ce gosse, il sait ce qu'il veut, et il a du mérite, parce que, bon sang de bon sang, on ne peut pas dire que tu l'aides !

Papa a ébouriffé les cheveux de Oualid :

— Et si j'étais toi, Jean, je lui donnerais sa chance. Qui sait ? Ça pourrait bien être la tienne aussi...

Jean a foudroyé mon père du regard. Mais mon père est parti voir d'autres copains à lui. Oualid et moi on est restés tout seuls avec Jean. Jean a tourné son cor à l'envers et de l'eau est sortie. Peut-être qu'il voulait dégoûter Oualid ? Il a remis son cor dans la boîte, sans se presser, puis il s'est penché vers Oualid, pour que ses yeux soient à la même hauteur que les siens et il a dit :

48

— Donne-moi une seule bonne raison qui te donne envie de jouer du cor, à part le fait que ce soit beau.

Oualid a baissé la tête, et quand il l'a relevé, ses yeux ne regardaient rien ni personne. Il avait cet air ailleurs que je lui connaissais bien.

— C'est quand vous avez commencé à jouer, l'autre jour. Y avait plein d'images qui venaient dans ma tête, ça s'arrêtait pas : j'ai vu des animaux courir dans la montagne, j'ai senti le vent du désert, j'ai aperçu un paquebot sur la mer, j'étais loin, dans un autre pays, comme dans un rêve... Je veux retrouver ça, je veux fabriquer des images moi aussi.

Jean a paru étonné et, sur le coup, il n'a rien dit. Il a fermé la boîte sur le cor, il a baissé les crochets et il a marmonné :

— Ouais, des bêtises...

Oualid a vu rouge :

— Non, c'est pas des bêtises ! Et vous le savez très bien ! Y en a qu'un qu'est bête ici ! Et c'est pas moi, ni Jules !

Ouh là là ! C'était bien envoyé, ça ! Oualid est

parti, sans se retourner. Avant de le rejoindre,
j'ai lancé à mon tour :

— Moi, au moins, j'ai de la chance, j'ai un prof
sympa !

C'était un peu court comme réplique, mais
c'est tout ce que j'ai trouvé.

Dans la voiture, on a tout raconté à papa. J'ai
senti qu'il était un peu en colère après Jean,
mais il a cherché à l'excuser :

— Faut pas lui en vouloir. Il a de bonnes rai-
sons de ne pas aimer les gosses.

Puis il nous a raconté :

— Là où il habitait avant, les gosses n'arrêtaient pas de sonner à sa porte. Un jour, il en a
eu marre, il en a chopé un, et il lui a fait peur.
Le lendemain, en rentrant chez lui, il a trouvé
Gus qui gémissait devant sa porte, on lui avait

lancé des pierres, il était sérieusement amoché, le pauvre.

— Gus ! On a lancé des pierres à Gus ?

— Oui. Heureusement, il s'en est bien tiré.

Papa s'est tourné vers Oualid :

— C'est pas un mauvais gars, Jean, mais depuis, il a du mal avec les enfants. Il faut lui laisser du temps.

Oualid a haussé les épaules :

— Un jour, ma sœur m'a cassé une voiture que j'avais faite moi-même. J'y avais passé l'après-midi. Y avait un moteur et tout. Et ça marchait ! On s'est disputés et elle l'a jetée. Eh ben, j'en veux pas à toutes les sœurs de la terre !

— Et Gus, il n'en veut pas non plus à tous les enfants !

Mon père n'a pas su quoi répondre.

5

Un soir, Oualid et moi, on goûtait, disons plutôt qu'on s'empiffrait de tartines au chocolat. J'avais mon cours de clarinette une heure après et Oualid tenait à m'accompagner. Mon père est arrivé avec une grosse boîte noire en forme de... Mon cœur a bondi !

— Oualid, a dit mon père, j'ai un cor, là. Tu ne peux pas l'emporter parce qu'il n'est pas à moi. Mais tu peux venir en jouer ici quand tu veux ! Oualid s'est levé tout excité : il a ouvert la boîte, et il a regardé le cor d'un air émerveillé. Il y avait de quoi ! Posé sur un velours bleu nuit, le cor brillait comme un énorme bijou en or.

— Oh m'sieur... merci, m'sieur... Alors c'est vrai, je pourrai venir quand je veux ?

Mon père a balbutié, pris de panique :

— Heu... oui, enfin... sauf le matin, évidemment !

Oualid a pris le cor délicatement, il a mis l'embouchure au bout, comme une bague qu'on mettrait au doigt de sa fiancée, puis, les deux jambes bien plantées, il a sorti un son. Alors mon père lui a montré quelques notes, de quoi faire une gamme : *fa sol la si do ré mi fa*.

Ensuite mon père a insisté pour ramener Oualid chez lui. Il voulait savoir si ses parents seraient d'accord pour que Oualid vienne chez nous jouer du cor après l'école. C'est son père qui nous a ouvert. Il était grand avec des cheveux noirs un peu frisés, et l'air jeune. Il y avait Soraya aussi, sa sœur, qui lisait en regardant la télévision. Elle s'est levée pour baisser le son. On s'est assis et mon père a commencé à expliquer pourquoi il était venu. Soraya a failli s'étrangler de rire :

— Du cor ? C'est pas une blague ?

Le père de Oualid a levé la main pour demander le silence et il a répété d'un air sérieux :

— C'est pas une blague ?

Oualid a dit non. Alors son père a hoché la tête plusieurs fois de haut en bas. J'ai eu l'impression qu'il était très très content de cette nouvelle. Il semblait avoir enfin trouvé la solution à un problème qui le préoccupait depuis longtemps. Ça a démarré par un petit sourire, qui s'est élargi à n'en plus finir, comme si une fois commencé il ne pouvait plus s'arrêter, et là on aurait dit Oualid en plus grand :

— Je suis d'accord pour que tu joues du cor après l'école, Oualid, mais à une condition...

Oualid a fait une drôle de tête, il savait déjà la condition.

— ... je veux que tu me ramènes des bonnes notes !

Son père lui a mis gentiment la main sur le cou et il a ajouté :

— On ne peut pas empêcher un soleil de briller... Mais il peut briller avec des bonnes notes. C'est comme ça, fils.

Des bonnes notes, pour Oualid, c'était comme lui parler chinois ! Il en avait rarement vu sur son cahier ! Cette fois, il n'avait pas le choix. On a commencé à faire nos devoirs ensemble. On apprenait les mots de la dictée, les tables de multiplication, la conjugaison, les Gaulois, etc. Oualid faisait un effort pour écouter la maîtresse, pour essayer de comprendre. Même la maîtresse s'en était aperçue ! Alors il est allé la voir pour lui demander si elle pouvait écrire un petit mot sur son carnet de correspondance pour dire qu'il faisait un petit peu de progrès, que ses notes s'amélioraient, et... et... que c'était important pour lui que ce soit dit, et vite. Et il lui a chuchoté quelques mots à l'oreille. Toutes les maîtresses aiment qu'on leur confie des secrets. Ça n'a pas raté. Enchantée, elle a écrit le mot.

Et Oualid a pu commencer à apprendre le cor.

56

Un soir qu'il travaillait la gamme dans ma chambre – c'est la pièce la plus éloignée du salon –, Jean est arrivé avec mon père. Il ne pouvait pas ne pas entendre le cor, mais il a fait comme si de rien n'était. Il discutait avec mon père, point. Oualid jouait chaque note en essayant de la tenir le plus longtemps possible, ce qui n'est pas toujours facile avec le cor, parce qu'il faut garder la même pression d'air, la même position des lèvres. Mais il y arrivait. Quand Oualid a eu fini, il est venu dans le salon. Gus lui a sauté dessus, la queue frétillante. Il a flairé Oualid, trois secondes lui ont suffi pour l'embrasser à sa façon... avec une grosse léchouille sur la figure ! Oualid s'est mis à rire en le caressant :

— Salut, Gus ! T'es un bon chien... Oui, t'es gentil, tu mords pas, toi, hein... ? Comme ton maître !

Hou là là ! Sacré Oualid ! Il n'en ratait pas une !

« Ouah, ouah ! » a répondu Gus en lui lavant une seconde fois le visage.

Jean n'a pas bronché. Après le départ de Oualid, mon père s'est esclaffé :

— Ha ha, alors comme ça, tu mords ? Tu ne l'as pas volée, celle-là !

Jean a marmonné :

— Si j'étais son père, je lui apprendrais la politesse, moi...

Mais son ton n'avait rien de méchant.

Deux jours après, quand je suis arrivé de l'école avec Oualid, Jean était encore à la maison. Chose étrange, il était de plus en plus souvent là, et particulièrement les soirs où Oualid jouait du cor. J'ai suivi Oualid jusqu'à la chambre et je lui ai dit :

— Tu sais quoi, Oualid ? Jean, il ne venait pas aussi souvent que ça avant. J'ai l'impression que tu l'intéresses...

— ...

— Il faudrait arriver à le décider, mais... je ne vois pas comment...

Oualid a sorti le cor de son lit de velours bleu nuit, et il lui a parlé comme à un copain :

— On va lui montrer à cet ogre de quoi on est capables ? Hein ? Peut-être même qu'on pourrait l'énerver...

Je l'ai laissé. Quand on joue, on aime bien être seul avec son instrument. C'est comme quand on joue avec un copain : on connaît les règles du jeu, on a notre langage, on ne supporte pas que quelqu'un qui n'y connaît rien s'en mêle.

Oualid a commencé par jouer la gamme, comme chaque soir. Je l'avais déjà entendu la veille. Il montait sans effort jusqu'à une note assez aiguë, mais cette fois-ci, c'est drôle, il n'arrivait pas à monter jusqu'en haut.

Le *fa* aigu coinçait. Il faisait un 1/2 ton en dessous. Ça ne le décourageait pas du tout. Il a dû recommencer comme ça une bonne dizaine de fois. Jean buvait une bière avec mon père, il l'entendait, évidemment. Puis j'ai compris : Oualid le faisait exprès !

Il avait trouvé le moyen d'obliger Jean à s'occuper de lui. Oh là là, c'était tout à fait Oualid, ça ! Et hop à nouveau un 1/2 ton en dessous... et hop, encore une fois. J'ai mis ma main devant ma bouche pour que Jean ne me voie pas rire. Au bout d'un moment, il s'est levé :

— C'est pas possible, ça...

Je l'ai suivi dans la chambre, je ne voulais pas en perdre une miette. Il a pris le cor des mains de Oualid :

— Pour monter dans l'aigu, pince les lèvres, et mets de la pression d'air...

Il a sorti son embouchure de sa poche (elle ne doit jamais le quitter), il l'a mise à la place de celle de Oualid et il a joué la gamme complète.

— Ah... a fait Oualid, en prenant l'air idiot.

Il a remis son embouchure et à son tour, il a joué impeccable la gamme jusqu'en haut. Jean est revenu au salon :

— Il se fout de moi, ce môme...

J'ai couru dans ma chambre. Oualid imitait la danse des Sioux, un bras en l'air, la tête baissée, avec sur le visage un grand rire muet.

6

LA SEMAINE a passé lentement jusqu'au mardi : ce soir-là Oualid était à la maison comme d'habitude. Il devait être environ six heures quand Jean a débarqué également. Puis quelqu'un a sonné à la porte. Papa a ouvert : c'était Gaston Larozière. Il venait chercher son cor, celui avec lequel jouait Oualid, parce que le sien était en révision. Oualid avait commencé ses gammes.

— Il se débrouille bien, le petit ! a dit Gaston. Mon père est allé chercher Oualid qui a rendu le cor à Gaston :

— Merci, monsieur, c'était drôlement sympa de me l'avoir prêté.

— Je ne suis pas sûr de pouvoir te le prêter à

61

nouveau, a répondu Gaston, un peu gêné. Mais il y a peut-être d'autres possibilités, non ?

Il s'est tourné vers Jean :

— Tu ne connais personne qui pourrait prêter un cor au petit ? Ce serait dommage qu'il ne puisse pas continuer... c'est pas si souvent qu'on rencontre des enfants qui s'accrochent comme ça à la musique.

Jean a soupiré, un long soupir qui disait : « Vous allez me lâcher, oui ! »

Oualid ne s'est pas démonté :

— Vous inquiétez pas. Je trouverai. Mon père, il dit que la vie, c'est comme un bateau, il faut garder le cap même quand y a des tempêtes.

— Bien sûr, a répondu Gaston, un peu étonné quand même, mais bon, si on peut te donner un coup de main...

Mon père, lui, a ri.

— Ben dis donc, il t'en dit des choses, ton père !

— Ah ça oui ! On se parle, nous !

« Ouah, ouah ! » a fait Gus.

Jean faisait semblant de lire. Quand la porte s'est refermée sur Oualid, il a continué à lire tranquillement. Ça m'a tué. Oualid se battait corps et âme pour essayer de jouer du cor, et lui, qui pouvait l'aider, ne levait même pas le petit doigt ! Son long soupir me restait en travers de la gorge. De rage, j'ai lancé l'insulte suprême, celle qui fomente dans l'esprit, qui a son nid dans l'imaginaire :

— Barbenoire !

Puis j'ai couru dans ma chambre et j'ai claqué la porte de toutes mes forces. Bizarrement, mon père n'a rien dit.

Maintenant qu'il n'avait plus de cor, Oualid ne venait plus aussi souvent à la maison. Mais il ne décrochait pas : il venait au conservatoire avec moi, et sans doute les autres jours où je n'y étais pas. Pour y aller, on est obligés de passer devant la maison de Jean. Un soir, on a entendu un cor. C'était Jean bien sûr. On est revenus sur nos pas, et on est allés jusqu'à sa maison. Gus a aboyé de joie en nous voyant. On l'a caressé en passant une main en bas du

grillage, au-dessus du muret. Gus nous a léchés, tour à tour, comme un élève très appliqué.

— T'es un bon chien, Gus... a dit Oualid, mais sa voix était ailleurs.

Il écoutait Jean qui faisait des arpèges, *fa la do fa do la fa, la do fa do la fa*... Puis il m'a regardé avec un sourire à faire danser un mort. Il venait d'avoir une idée, une idée si réjouissante qu'il en était tout illuminé. Mais j'allais être en retard, on n'avait pas le temps d'en discuter.

En sortant de mon cours, Oualid m'attendait.

— Regarde ! Tu ne trouves pas qu'il ressemble à Jean ?

Au bord de la Marne, il y a beaucoup de ragondins. On dirait de gros rats sauf qu'ils ont la taille de marmottes. Il y en avait un allongé sur un ponton, il ruminait du museau comme quelqu'un qui ronchonnerait dans sa barbe. J'ai rigolé :

— C'est vrai qu'il n'a pas l'air commode...

Oualid lui a lancé un caillou. Le ragondin n'a pas bougé d'un poil.

— Je suis même pas sûr qu'il se lève si je lui donne du pain ! C'est le genre quand il a décidé de pas bouger, il bouge pas !

— T'as raison, qu'est-ce qu'il ressemble à Jean !

On a pouffé de rire, puis après un dernier caillou, on est repartis.

— T'en fais pas, j'ai dit à Oualid, on va trouver une solution. C'est un pauvre type, il aurait pas su t'apprendre. Il a pas évolué. C'est comme un moteur qui se bloque. Faut le démonter pour trouver la panne. Lui, il a pas eu le courage de le faire. Laisse tomber.

— Ça, jamais, a dit Oualid.

Puis il a eu à nouveau ce sourire lumineux.

— Toi, t'as une idée... À quoi tu penses ?

— Tu sais, Jules, même les ogres ont un point faible... Tu vois pas ?

— Gus... ?

Mon cœur s'est arrêté de battre. Qu'est-ce qu'il avait derrière la tête ? Jean était horrible avec Oualid, c'est vrai, mais de là à s'attaquer à son chien. Non, ça ne ressemblait pas à Oualid d'avoir des idées pareilles.

66

— Non, pas Gus, Oualid...

Il a lancé un dernier caillou dans l'eau puis on est repartis.

Le lendemain, on a de nouveau entendu le cor. Jean préparait un concert, c'est pour ça qu'il jouait tous les soirs. Oualid a été directement à la maison de Jean. Je l'ai suivi, légèrement inquiet.

Gus a bondi vers nous en jappant.

— Salut, Gus... Oui, t'es un bon chien... Regarde ce que je t'ai apporté...

Et Oualid a sorti de sa poche une petite souris en peluche, et il l'a brandie devant Gus. J'ai eu un fou rire, impossible de m'arrêter. Oualid n'allait pas laisser Jean jouer tranquillement, sous ses yeux, au mépris de ses oreilles, et surtout de son désir d'apprendre ! Et pour ça, il avait besoin de Gus ! Gus s'est assis sur ses pattes arrière, tellement heureux de jouer qu'il aboyait comme un fou. Au bout de trois bonnes minutes, la fenêtre s'est ouverte. On s'est accroupis derrière le muret.

— La ferme, Gus !

Comme Gus, pas fou, continuait à aboyer, c'est la porte cette fois qui s'est ouverte. Toujours accroupis, et écroulés de rire, on a longé le muret puis on s'est enfuis à toute vitesse, poursuivis par les gémissements de Gus, qui voyait sa petite souris disparaître en fumée.

Notre plan se précisait. Ça s'appelle la guerre des nerfs. C'était bien le genre de Oualid, ça ! Quand il était petit, il devait poser mille fois la même question jusqu'à ce qu'il obtienne ce qu'il veut ! Maintenant, il avait affiné sa méthode, c'est tout. Alors après le goûter et nos devoirs, on se postait devant la maison de Jean. Gus nous accueillait avec de petits jappements de plaisir, pas de quoi affoler un ogre. Mais juste au moment où Jean se mettait à jouer, Oualid sortait sa petite souris de la poche. Alors Gus bondissait de joie, et ses aboiements étaient à la hauteur de nos espérances. Au bout de trois minutes, Jean ouvrait la fenêtre. Aussitôt, on se baissait derrière le muret :

— La ferme, Gus !

Il refermait la fenêtre. Hop, un petit coup de souris... Des aboiements...

Un cor qui joue. Qui s'arrête. La porte qui s'ouvre :

— Gus, ici !

Gus n'obéit pas. L'ogre s'approche, et nous, comme des gros canards maladroits, nous longeons le muret, nous le dépassons et nous courons à toute vitesse. Avec le rire en prime.

On était prêts à faire durer le jeu aussi longtemps que nécessaire. Mais trois jours d'une séance comme ça ont suffi. Le quatrième jour, quand on a entendu le cor, on est allés brandir la souris devant Gus. Gus a aboyé comme d'habitude mais... rien. Aucune fenêtre ne s'est ouverte. Pas de « La ferme, Gus ! » Pas de porte non plus qui s'ouvre. Pas d'ogre qui sort. Rien.

— Peut-être qu'il est pas là ?

— Ah oui, et qui c'est qui joue alors ?

« Ouah ! Ouah ! »

— Chut, Gus, on discute... C'est peut-être une cassette, un CD... ?

— Ah oui ? Et pourquoi il mettrait un CD s'il est pas là ?

On s'est regardés, on a pensé à la même chose au même moment.

On s'est retournés. Jean était derrière nous, en chair et en os.

— Ton père, qu'il a dit à Oualid en croisant les bras, il t'a jamais parlé de l'Emmerdus Oualidus Colus ?

— Heu... non, a répondu Oualid.

C'était la deuxième fois que je le voyais à court.

— C'est une plante à feuilles persistantes, a continué Jean. Qui fleurit tout au long de l'année.

Oualid a fait l'étonné, mais pas longtemps. Parce que à ce moment, il y a eu une éclaircie, et le soleil a arrosé momentanément la terre de ses rayons, et aussi le jardin de Jean. Ça a eu l'air de le réjouir, Oualid :

— Si c'est une plante, il a dit lentement, il lui faut un jardin, et pour qu'elle ait des fleurs toute l'année, il lui faut aussi beaucoup de soleil et...

Il a montré le jardin :

— Ce jardin-là, il est bien. Un peu petit, peut-être...

— Sans blague ? a murmuré Jean.

Et soudain il s'est transformé sous nos yeux : il s'est mis à rire.

Un rire de géant !

Alors on a ri aussi. Et Gus a poussé un long cri, comme un loup qui chanterait sous la lune. Jean a ouvert sa porte.

— Que l'Emmerdus Oualidus Collus daigne entrer dans mon jardin ! Avec l'Emmerdus Julius, bien entendu...

On s'est assis sur le canapé avec Gus, Jean nous a lancé un paquet de gâteaux, il a pris son cor, et il nous a joué un concerto de Mozart. Très gai, virevoltant, avec un refrain facile à mémoriser, qui donne envie de chanter. Quand la dernière note s'est éteinte, Oualid a donné à Jean l'estocade finale :

72

— Mon père m'a toujours dit qu'un soleil doit briller pour tout le monde.

Quelques jours après, Oualid avait son cor. En le lui donnant, Jean lui a promis que, comme on ne peut pas empêcher un soleil de briller, n'est-ce pas, il allait le faire briller, Oualid, comme un soleil parce que, nom de nom, c'était pas dans ses habitudes de faire mentir les pères !

C'est ce qui s'est passé. Exactement six mois après.

À FORCE de faire nos devoirs ensemble, comme Oualid est loin d'être bête, ce n'est plus des 2 et des 3 qu'il se payait comme notes, mais des 7, des 8 et même un 12 en histoire. Et pas une seule bulle ! La maîtresse était drôlement étonnée :

— Je suis contente, Oualid, tu t'appliques, ça se voit. Quelqu'un t'aide en dehors de l'école ?

La maîtresse espérait que j'allais répondre. Mais ni Oualid ni moi n'avons eu le temps de dire quoi que ce soit. Les autres ont chuchoté entre eux, mais assez fort pour qu'on les entende :

— Alors c'est pas une blague ? Il veut vraiment devenir président ?

Oualid m'a fait un clin d'œil. Il ne leur a même pas répondu.

Toujours est-il que six mois après, au mois de mai, la classe entière a été invitée à l'Élysée. En fait, mon père avait écrit au chef du protocole de l'Élysée pour lui demander si, à l'occasion de la venue du roi du Maroc, notre classe qui comprenait pas mal d'enfants marocains ne pouvait assister à la parade. Et cela avait été accepté !

La maîtresse nous a annoncé la nouvelle :

— Notre président veut fêter la bonne entente entre la France et le Maroc et il a invité le roi marocain. Grâce au père de Jules, nous sommes nous aussi invités à l'Élysée pour assister à la parade.

Il y a eu un grand silence parce que tout le monde se demandait ce qu'était une parade, et personne n'osait poser la question. Alors j'ai expliqué :

— Il y aura de la musique jouée par un orchestre.

— Super ! s'est exclamé Nasser, alors y aura sûrement du raï !

Tout le monde a poussé un cri de joie. Oualid s'est énervé :

— Jules a dit un orchestre, il n'a pas dit un chanteur. Et l'orchestre de l'Élysée, c'est la garde républicaine qui joue avec des trompettes, des tambours, des cors...

— Ben, a dit Simon, des *corps*, t'es obligé si tu veux tenir ta trompette !

Ils se sont tous mis à rire comme des idiots.

Alors la maîtresse a encore expliqué :

— Le cor est aussi un instrument de musique. Comment appelle-t-on les noms qui se prononcent de la même façon ? Des ho... des homo...

— Des homosexuels ! a hurlé Simon.

De nouveau, éclat de rire général. Mais cette fois, la maîtresse s'est fâchée. Elle a tapé avec sa règle sur son bureau.

— Maintenant, ça suffit ! Ça s'appelle des homonymes. Prenez vos cahiers et cherchez d'autres homonymes de cor, de verre, de mère, de temps, de lait. Je ne veux plus aucun bruit.

Et ce fut le jour J. On était tous prêts pour le grand saut jusqu'à l'Élysée ! On avait fabriqué des petits drapeaux, rouges avec une étoile verte, pour accueillir le roi. Oualid n'était pas là. Quelqu'un a demandé si Oualid était malade, la maîtresse a répondu :

— Oui, hélas ! pauvre Oualid, lui qui avait tellement envie de venir...

Il y avait un soleil d'enfer. La garde républicaine était là, et les médailles sur les shakos étincelaient, exactement comme la première fois.

— Qu'est-ce qu'elles brillent, leurs médailles ! a dit Félix.

— Pas étonnant ! a répliqué Simon. Ils l'astiquent avec leur plumeau !

Tout le monde a rigolé. La maîtresse a pris Simon par sa capuche, elle l'a tiré en arrière pour qu'il soit juste à côté d'elle :

— Tu te tais, maintenant, c'est clair, ça ?

— J'ai rien fait, maîtresse ! C'est eux qui rigolent ! a miaulé Simon.

Il y avait mon père, j'ai reconnu aussi Gaston Larozière et Jean, bien entendu. Il y a eu un roulement de tambour, puis l'orchestre de la garde républicaine a commencé à jouer. Le président et le roi sont apparus sur le perron. On a tous agité nos drapeaux. Il y en a un qui a chuchoté :

— Il est petit, le président...

Le plus petit de la classe a répliqué :

— Ça veut rien dire. C'est pas les plus grands les plus intelligents !

La maîtresse a fait chut ! très fort. Tout le monde s'est tu.

Il y a eu un mouvement dans la garde républicaine. J'ai retenu ma respiration, je me suis dit : « Voilà, c'est le moment ! »

Soudain, au milieu de la garde républicaine, un petit chemin s'est formé, et dans ce petit chemin, Oualid s'avançait, un cor à la main. Le chef de musique est resté la baguette en l'air. Aïe, aïe, aïe, ça allait chauffer pour Jean.

— Oualid ! C'est Oualid ! Maîtresse, vous avez vu, c'est Oualid ! Il est pas malade ! Il est là, Oualid ! Mais qu'est-ce qu'il fait là ? Hou, hou, Oualid !

La maîtresse a de nouveau fait chut !, mais avec un sourire éblouissant.

Oualid a dépassé d'un pas le peloton de la garde républicaine, et il a porté le cor à sa bouche.

Le président regardait Oualid d'un air intrigué et amusé à la fois. Puis il a fait un signe. Jean, qui était juste derrière Oualid, lui a soufflé quelque chose à l'oreille. Oualid a pris son cor et il a joué. C'était pas un morceau difficile, je le connaissais, c'était *La Surprise* de Haydn. Il a joué ça comme s'il chantait la victoire.

C'était la marche fière du tigre, sûr d'attraper sa proie. C'était le pas sautillant et espiègle d'un lapin qui salue le lever du soleil. C'était la victoire de tous les petits qui ont gagné la bataille de la nuit. Son cor riait, on avait envie de hisser le drapeau de la vie avec lui.

Puis plus rien. Oualid a baissé le drapeau, disons qu'il a mis le cor sous son bras. Il y a eu un grand silence. Alors le président a commencé à l'applaudir, et tout le monde a fait pareil. Le roi marocain s'est déplacé : on l'a vu serrer la main de Oualid.

Quand le président et le roi sont partis, tout le monde s'est jeté sur lui:

— Alors c'est ça que tu voulais faire ? C'est ça, un cor ? C'est beau ! Je peux essayer ? Qui c'est qui t'a appris ? Et moi qui croyais que tu voulais être président ! Moi aussi ! T'as pas eu peur de lui parler, au roi ? Qu'est-ce qu'il t'a dit ?

Y en a un qui a ajouté:

— Il ne t'a pas demandé tes notes, au moins ?

Mais cette fois, ça n'a fait rire personne. Bien au contraire !

— Il n'a plus besoin de notes, Oualid ! Maintenant, il jouera du cor ! Pour le roi ! Hein, Oualid ? C'est un métier ça, non ?

— Oui, a dit la maîtresse qui ne rate jamais une occasion, n'empêche qu'il vaut mieux savoir lire et compter, ne serait-ce que pour savoir combien on gagne, ou pour lire les noms des rues, ou encore...

Elle s'est arrêtée parce que, soudain, Oualid s'est baissé, il a porté la main à son ventre, comme s'il avait mal. On a entendu de drôles de gargouillis, puis on s'est aperçu qu'il rigolait, qu'il rigolait comme un malade, en marmonnant :

— Quand je pense... quand je pense... hihihihi... qu'ils croyaient... que... je voulais... être... hihihihihi... président, hohohoho, hihihihihi !
On a commencé à rigoler aussi.

— Remarque, a dit la maîtresse quand les rires se sont un peu calmés, si tu fournissais le même travail en classe que ce que tu as fait en six mois pour le cor, tu pourrais très bien un jour devenir président, Oualid.
Alors tout le monde a scandé :

— Oua-lid, pré-si-dent ! Oua-lid, pré-si-dent ! Oua-lid, pré-si-dent !

J'ai jeté un coup d'œil du côté de Jean. Il se tenait debout droit comme un i, devant le chef de musique, qui avait l'air de l'engueuler comme du poisson pourri. J'entendais quelques mots...

— Outrage... insubordination... colonel...
Il a désigné la garde républicaine derrière Jean...

— Tous pareils... mise à pied... mes nouvelles...

— Oui, mon capitaine, répondait Jean.

Jean avait risqué gros. On peut être renvoyé de la garde républicaine si on commet une faute grave. Et faire jouer Oualid, qui n'appartenait pas à la garde républicaine, c'était comme faire entrer un singe chez les pompiers ! Ça fait désordre. Jean avait misé sur le fait qu'il était très apprécié par son chef de musique. Il avait espéré qu'il passerait l'éponge, qu'il n'en parlerait peut-être même pas au colonel ? Mais ça avait l'air mal parti...

— En avant ! a crié le capitaine.

La garde s'est déplacée au pas cadencé et elle est sortie de l'Élysée.

Nous aussi.

On est tous allés pique-niquer aux Tuileries. Un peu plus tard, mon père et Jean nous ont rejoints.

— Mes félicitations ! lui a dit la maîtresse. Vous êtes le professeur de Oualid, n'est-ce pas ?

Jean a hoché la tête.

— Bravo ! Quelle patience il faut !

J'ai pouffé de rire. Jean a répondu d'un ton bourru :

— C'est facile quand l'élève en redemande.

— J'imagine, oui ! Moi, ils ne me demandent jamais de les faire travailler !

Et elle a eu un petit rire joyeux.

— En tout cas, je suis contente pour Oualid. Si chacun découvrait sa passion, ce serait merveilleux... Je suis sûre qu'on peut tous être le champion de quelque chose, pas vous ?

— Ah oui ? s'est écrié Simon. Alors moi, je suis le champion de quoi ?

Quelqu'un a lancé :

— Toi, t'es déjà le champion des blagues nulles !

Simon s'est retourné, prêt à dire un gros mot, parce que quand il est en colère, maîtresse ou pas, il ne se gêne pas.

— Tu le découvriras un jour, Simon, a dit la maîtresse.

Elle a fait tomber son écharpe. Mais elle ne s'en est pas aperçue tout de suite. Jean ne pouvait faire autrement que la ramasser. Alors Simon

85

n'a pas hésité un instant. Il a fredonné sur l'air de « Ce soir, on vous met le feu » :

— *Y en a, y en a deux,*

Y en a qui sont amoureux...

Tout le monde a éclaté de rire, évidemment ! Sauf Jean. C'était une très mauvaise blaque. Il a lancé un regard noir à Simon et il a murmuré :

— Décidément... je déteste les enfants !

Claire Clément écrit des histoires, aussi bien pour les plus petits que pour les plus grands, pour Casterman (*Guesaro l'indomptable*, « Romans HUIT & PLUS »), Flammarion ou Bayard. Avec ce livre, elle avait envie de brosser le portrait d'un enfant, pétillant d'intelligence et de santé, mais qui ne réussit pas à l'école. Car pour Oualid, l'école, ce n'est pas la vie ! Dans l'histoire, un personnage dit : « On peut tous être le champion de quelque chose… » C'est si vrai que pour chacun de nous, c'est le combat de toute une vie d'exister autrement qu'à travers les valeurs que la société nous impose.

L'hiver, **Stéphane Girel** dort dans un chalet ; l'été, il dessine au milieu des vaches qui se roulent dans les pâturages alpins : des albums, des romans pour les enfants des villes et des champs.

TABLE DES CHAPITRES